CEOL RINCE
NA hÉIREANN
I

Ceol Rince na hÉireann

I

BREANDÁN BREATHNACH
a chruinnigh agus a chuir in eagar

AN GÚM
Baile Átha Cliath

An Chéad Chló, 1963

6   7   8   9

ISBN 1-85791-039-7

Criterion Press a chlóbhuail i bPoblacht na hÉireann

Le ceannach ón
Oifig Dhíolta Foilseachán Rialtais,
Sráid Theach Laighean,
Baile Átha Cliath 2
nó ó dhíoltóirí leabhar.

Orduithe tríd an bpost ó
Rannóg na bhFoilseachán,
Oifig an tSoláthair,
4-5 Bóthar Fhearchair,
Baile Átha Cliath 2.

An Gúm, 44 Sráid Uí Chonaill Uacht., Baile Átha Cliath 1.

DO MHÉADÚ GLÓIRE DÉ AGUS ONÓRA NA HÉIREANN

I gCUIMHNE

SHEÁIN POTTS

(1871–1956)

PÍOBAIRE, FEADÁNACH AGUS SEANCHAÍ

A THIOMNAIMSE AN CNUASACH SEO

CLÁR

Réamhrá don Dara Athchló

Sa mbliain 1963 a cuireadh an chéad eagrán de *Cheol Rince na hÉireann* amach; 2,000 cóip a bhí san eagrán. Cuireadh 1,000 cóip ar fáil i 1972 agus anois féin is gá tuilleadh cóipeanna a chur ar fáil. Ní in Éirinn amháin a bhí tóir ar an gcnuasach seo den cheol dúchasach ach sa mBreatain, i Meiriceá agus ar Mhór-roinn na hEorpa. Tá an deis dhá thapú, leis an athchló seo, ar chuntas a thabhairt i mBéarla agus sa bhFraincis ar éadáil an leabhair agus ar an treoir atá tugtha ann faoi chasadh an cheoil. Cuirfidh sin le réim an leabhair agus is mó dhá bharr sin freisin an tairbhe a bheas an léitheoir atá gan Gaeilge in ann a bhaint as. Dhéanfainn athrú anonn is anall ar an gcur síos ar mhianach an cheoil atá sa mBrollach agus ar an gcóras maisithe atá ar lgh xii-xiii dhá mbéinn dhá scríobh as an nua ach ní bhacfaidh mé anseo ach le dhá phointe a bhaineas go sonrúch leis an gceoltóir féin. Is fearr a léireodh an fhoirmle A*b*A*g*A (na nótaí maisithe sa gcló ioldáileach) an rollán fada ná an ceann atá tugtha ar lch xiii. Tugtar faoi deara gur fuide an chéad nóta den rollán seo ná ceachtar den dá bhun-nóta eile agus gurb é an ceann deireanach an nóta is giorra acu. Sa rollán gearr sé an nóta láir de na nótaí maisithe an ceann is giorra agus ní hé an ceann deireanach mar atá ráite sa bhfó-nóta ar lch xii.

Cuireadh in iúl dom nár tugadh leide ar bith don léitheoir i dtaobh luas an cheoil. Tá an locht sin dhá leigheas anseo síos:

Poirt Dúbalta	♩.	=	127	Poirt Luascaigh ♩.	=	144
Poirt Singil	♩.	=	137	Ríleanna ♩	=	224
	Cornphíopaí ♩	=	180		

Ní feabhas ach a mhalairt a cuirtear ar an gceol má castar níos tapúla ná mar a taispeántar sa gclár seo é. Ní dochar ar bith é a chasadh beagán níos moille ná sin. Ba ghnás ag cuid de na sean-cheoltóirí sin a dhéanamh nuair nach mbeidís ag seinm do dhamhsóirí.

Introduction à la Troisième Impression

Nous profitons de l'occasion donnée par la troisième impression de *Ceol Rince na hÉireann* (la musique de danse irlandaise) pour donner en français et en anglais quelques renseignements de la musique irlandaise à ceux qui ne connaissent pas l'irlandais. Tous les morceaux dans ce tome étaient transcrits des musiciens traditionnels, sauf le numéro 174, mis pour des raisons éditoriales. La division de la musique suit la classification normale: *poirt dúbalta/double-jigs* (pp. 3-22), *poirt singil/single jigs*, en temps de 6/8 et 12/8, et *poirt luascaigh/slip jigs* en 9/8, (pp. 25-29), *ríleanna/reels* (pp. 33-79) et *cornphíopaí/hornpipes* (pp. 83-86). On a décidé d'utiliser des symboles pour montrer des notes de passages, parce que le recueil était premièrement écrit pour des musiciens traditionnels qui embellissent la musique selon leur propre façon, et de plus la manière d'orner la musique change d'instrument en instrument. Quand il y a plus de deux notes d'ornementation, on peut regarder les tableaux pp. xii-xiii et ces tableaux se traduisent comme:

Écrit   Joué:—
         Cornemuse   Flûte   Violon   Accordéon (pp. xii-xiii)

Apostille:

Le tercet comme celui de A s'appelle un rouleau. Ces notes n'ont pas la même valeur; la dernière est la plus courte. Quand on joue l'ornementation avec une noire, on l'appelle un rouleau long, comme à B. On donne le nom de *crannail/cran á* l'ornementation sur les notes D et E avec la cornemuse comme à C. La note E de la première octave est souvent remplacée par un rouleau. Le rouleau seulement est joué sur cette note à la deuxième octave. Le signe ⁓ montre que les notes de passages sont la note elle-même et la note en dessus (comme à D ci-dessus). Un joueur de violon joue la note E au lieu de F dans cet exemple. Un astérisque au-dessus de F indique que en cas de la cornemuse, la note se joue comme une glissade montant de E en haut. Quant au joueur de violon, celui-ci ferait une glissade de F naturel à F dièse.

Le rythme du rouleau long ressemble à la formule A*b*Ag*A* (notes de passage en italiques), la première est la plus longue et la dernière est la plus courte.

Le tableau p. 107 donne les noms des joueurs desquels on a obtenu la musique. Les instrumentistes étaient *feadánach*: joueur de flûte, *píobaire*: cornemuseur, *fidléara*: joueur de violon, *feadánach stáin*: joueur de fifre, *bean/fear cáirdín*: accordéoniste. Dans les pages 87-98 il y a des Notes sur les morceaux, où se trouvent aussi des différents noms des morceaux chez les musiciens et les rassemblements de manuscrits.

Pour ceux qui ne connaissent pas les tempos de cette musique, voici une liste qui montre le tempo de chaque classe de musique:

Poirt Dúbalta	♩.	=	127	Poirt Luascaigh	♩.	=	144
Poirt Singil	♩.	=	137	Ríleanna	♩	=	224
	Cornphíopaí	♩	=	180			

Jouer la musique trop vite enlève quelque chose de la mélodie, la jouer un peu plus lentement ne fait pas grande différence. Beaucoup de musiciens traditionnels, quand ils jouent pour eux-mêmes, jouent plus lentement que le tempo demandé par les danseurs.

Pour ceux qui veulent jouer cette musique dans la manière des musiciens traditionnels, il faut obtenir et écouter des enregistrements authentiques, et quand l'oreille les connaît, les airs simples peuvent être joués. Au commencement on doit ignorer les formes d'ornementations jusqu' à ce que les doigts soient assez agiles pour jouer ces notes de passages.

Introduction to Second Reprint

A third printing of *Ceol Rince na hÉireann* (the dance music of Ireland) affords an opportunity of including in English and in French some account of this collection of traditional dance music for readers not familiar with the Irish language. Excepting one piece, No. 174, included for editorial purposes, all the music in this collection was taken down from traditional players residing in or passing through Dublin. It is presented after the customary classification: double jigs (pp. 3-32), single jigs, in 6/8 and 12/8 time, and slip jigs, in 9/8 time, (pp. 25-29), reels (pp. 33-79) and hornpipes (pp. 83-86). It was thought at first to transcribe in full the forms of ornamentation used but as the collection was primarily intended for traditional players who would automatically embellish the music after their own fashion and as the form of ornamentation differs from instrument to instrument it was more simple for all to use symbols to indicate when a note was ornamented by two or more grace notes. The single grace note is shown as being the next highest note to that being ornamented although in fact this may not have been so; this form also varies from instrument to instrument. The forms of gracing involving two or more grace notes are tabulated on pp. xii-xiii and the text in these tables translates as follows:

ORNAMENTATION

Written   Played:—
      Pipes   Flute   Fiddle   Accordion (pp. xii-xiii)

Footnote:
The triplet of grace notes shown above (e.g. at A) is called a roll. These notes have not the same value; the last one is the shortest. When made with a dotted crochet this decoration is known as a long roll (e.g. at B above). The decoration on D and E on the pipes is called a cran (e.g. at C above). On E in the first octave it is often replaced by a roll as made by flute players. Only the roll is played on this note in the second octave. The sign $\sim$ indicates that the note so marked is ornamented by the note itself and one higher (e.g. at D above). A fiddler would use E instead of F in the example quoted. An asterisk over an F indicates that the note is played as a slide from E upwards on the pipes. The fiddler here would slide from F natural to F sharp.

It may be added that other groupings of grace notes are in use for cranning. The rhythm of the long roll would be better shown by the formula A*bA*g*A* (grace notes italicised) in which the first component is longest and the last shortest and it would be more accurate to say that the second grace note rather than the last is shortest in the ordinary roll.

The table on p. 107 records the names of the performers from whom the music was obtained. The instrumentalists involved were *feadánach*: flute player, *píobaire*: piper, *fidléara*: fiddler, *feadánach stáin*: whistle player, *bean/fear cáirdín*: accordionist. The contractions used in the Notes on the Tunes (pp. 87-98) are expanded in the table on p. 108. These notes record the various names by which the tunes are known among players and in printed and manuscript collections.

It was pointed out to the editor that readers not familiar with Irish dance music had been left in the dark about the tempo at which this music was usually played. The following shows the tempo for each class of this music:

Double Jigs	♩.	=	127	Slip Jigs	♩.	=	144
Single Jigs	♩.	=	137	Reels	♩	=	224
	Hornpipes	♩	=	180			

To play the music at a quicker tempo detracts from the melody; to play it somewhat slower can do no harm. It was customary for many of the older musicians when playing for themselves to adopt a slower pace than that demanded by the dancers.

Finally a word to those who wish to reproduce this music in a way approaching the traditional manner. Authentic recordings should be obtained and listened to. When the ear has become accustomed to the rhythm some of the simpler tunes may be attempted. The forms of ornamentation should be ignored until the fingers have become sufficiently agile to allow one to reproduce them in time.

BREANDÁN BREATHNACH

BROLLACH

SÉARD tá sa gcnuasach seo roinnt den cheol damhsa a chruinnigh mé i rith na mblianta anseo i mBaile Átha Cliath. Níor chuir mé ann ach foinn a chuala mé féin á gcasadh. Níor baineadh aon fhonn as na sean-lámhscríbhinní ná as na seanleabhair ceoil a tháinig i mo bhealach i rith an achair sin. Is don cheoltóir tuaithe an tiomsú seo ach gheobhaidh an duine a bhfuil spéis acadúil sa gcineál seo ceoil aige ábhar staidéir freisin ann. Tá roinnt mhaith foinn ann nár foilsíodh cheana ; malairt leaganacha d'fhoinn atá ar fáil cheana féin sna leabhair atá sa gcuid eile ach pé acu ar foilsíodh nó nár foilsíodh aon fhonn acu cheana tig leis an léitheoir a bheith cinnte gur leaganacha údarásach atá aige sa gcnuasach seo. Ba ó cheoltóirí tuaithe amháin a scríobhadh síos iad agus tá gach uile cheann curtha síos díreach mar a chas an ceoltóir féin é.

Shíl mé i dtosach báire gach uile nóta dá ndearna an ceoltóir a chur síos ach tháinig athrú intinne dhom faoi sin. Ní hiad na nótaí maisithe céanna a dhéanann an píobaire is a dhéanann fear an cháirdín, an fidléara is an feadánach agus iad ag rolladh nóta, cuirim i gcás. B'fhacthas dom mar sin go mb'fhearr comhartha éigin a cheapadh don mhaisiú nach mbeadh na nótaí céanna ag na ceoltóirí éagsúla ann in áit nótaí maisithe a chur síos nach bhfeilfeadh i bhfonn ar bith ach d'uirlis an cheoltóra a bhfuair mé an fonn uaidh. San áit a bhfuil maisiú dá shórt i gceist chuir mé lúibín faoin nóta nó os a chionn agus tá clár leis seo a dtaispeántar ann na nótaí maisithe fré chéile bheadh i gceist ar na huirlisí éagsúla. Shíl mé freisin go mb'fhearr an tríbhuille a dhéanann an fidléara scaití in áit an rolláin a chur síos ina iomlán, leisce comhartha eile a úsáid. Taispeánann an clár cén maisiú a chuirfeadh na ceoltóirí eile ina áit. Nuair bhí nóta aonraic maisithe sa gceol scríobh mé síos an chéad nóta eile tháinig os cionn an nóta a bhí á mhaisiú cé nach ar an gcaoi sin a bhí sé i gcónaí ag an gceoltóir. Athraíonn an nóta sin ó uirlis go huirlis. Ba cheart don cheoltóir mar sin an nóta sin agamsa a ghlacadh mar chomhartha amháin agus an nóta is fearr fheileas dá uirlis féin a chasadh i gcónaí. Níor bhac mé leis an nóta sin a chur síos nuair nach raibh d'fheidhm leis ag píobairí agus ag feadánaigh ach dhá nóta ar aon airde a dhealú óna chéile.

Bhain mé de cheol an phíobaire ar bhealach eile freisin. Is gnás leis na píobairí na tríríní maisithe AC♯A agus EGE a chur san áit a mbeadh ABA agus EF♯E ag na ceoltóirí eile. Ar an gcaoi sin is éasca thagas na tríríní seo ar na píopaí agus tharla an nóta láir san dá tríríní bheith gearr plúchta ar an uirlis sin ní airítear aon aistíl bheith ag baint leis na cónasca sin. Siad na tríríní ABA agus EF♯E atá tugtha síos agam mar siad is fearr fheileas don cheol ar na huirlisí eile agus ní chuirfeadh an t-athrú sin as do phíobairí mar tá siad cleachtach cheana féin leis an leagan amach sin bheith ar an gceol. Tá gnás eile bhaineann le leagan amach an cheoil nach mór an léitheoir a chur ar an airdeall faoi. Cé gur ar thosach na coda scríobhtar an brollach nó an ceangal is leis an mbarra deireanach bhaineas sé ó thaobh an ama. Má castar an chuid faoi dhó sé fad an cheangail bhaineas leis an gcéad chuid eile baintear den bharra sin ar an athchasadh. Is minic freisin nach gcastar ar ócáid dá shórt ach nóta amháin mar cheangal cé gur casadh dhá nóta den chéad bhabhta. Níor bhac mé leis an ngnás sin a thaispeáint de ghrá na héascaíocht i leagan amach an cheoil.

Sa scála féin ar chas an ceoltóir an fonn sea scríobh mise é ; ní dhearnadh aon aistriú ar aon cheann de na foinn. Ba mhóide an éagsúlacht, ar ndóigh, réim na scálaí a leathnú ach chuirfeadh aistriú dá shórt as do na ceoltóirí tuaithe arae ní bhíonn plé acu sin go hiondúil ach le dhá nóta ghéara, C agus F. Ní bheidh stró ar an gceoltóir oilte a rogha aistriú a dhéanamh ar na foinn.

Fearacht ceol tuaithe na Breataine is an cheoil eaglasta is ar an gcóras modhúil bunaíodh ceol tuaithe na tíre seo. Na foinn Ghaelacha fré chéile, idir amhráin agus phoirt, is i gceachtar de cheithre modhanna cumadh iad. Níl aon bhlas den diamhaireacht ag baint leis an gcóras seo den cheol arae níl sna modhanna seo ach scálaí atá bunaithe ar an gcéad, ar an dara, ar an gcúigiú agus ar an séú nóta den scála diatonach. An té bhfuil pianó in aice láimhe aige gheobhaidh sé léargas maith ar na modhanna seo ach scálaí ochtacha a sheinm ar na nótaí geala, ag tosú le C, D, G, agus le A. D'fhéadfaí na ceithre modhanna a bhaisteadh as na litreacha sin ach ó tharla go gcuirfidís airde an cheoil i gcéill is fearr iad a bhaisteadh do réir córas an solfa agus Dó, Ré, Só, agus La a thabhairt ortha.

Mar seo atá na hidirchéimeanna beaga sna " scálaí " seo :

(i) Modh *Dó* : idir an 3ú is an 4ú
agus idir an 7ú is an 8ú nóta ;

(ii) Modh *Ré* : idir an 2ú is an 3ú
agus idir an 6ú is an 7ú nóta ;

(iii) Modh *Só* : idir an 3ú is an 4ú
agus idir an 6ú is an 7ú nóta ;

(iv) Modh *La* : idir an 2ú is an 3ú
agus idir an 5ú is an 6ú nóta.

Cé go dtosaíonn na foinn go hiondúil ar nóta éigin den ghnáthchorda is ar an tonac nó bun-nóta an scála a chríochnaíonn siad fré chéile. Foilsíonn deireadh an fhoinn mar sin cén modh a mbaineann sé leis. Tá roinnt fonn—ríleanna a mbunáite—nach bhfuil dúnadh ceart leo ach go ngluaiseann an barra deireanach isteach sa gcéad bharra lena n-athchasadh ach is féidir na foinn seo ar ndóigh a chríochnú go formalach ar an tonac. Tá roinnt bheag fonn a sheineann na fidléaraí tuaithe, in A mór ; tuilleadh atá le cloisteáil ag na ceoltóirí sin i C mór nó in A beag ach thríd is thríd ní bhíonn plé go hiondúil ag na ceoltóirí tuaithe, mar dúradh cheana, ach le nóta amháin géar nó le dhá nóta ghéara. Má fágtar as margadh na foinn a seintear sna scálaí atá luaite, agus ní mórán acu chor ar bith atá ann, is féidir deirí na bhfonn mar a bhíos siad á gcasadh ag na ceoltóirí tuaithe a leagan amach i ndhá shraith :

An modh			Na deirí	
			G (♯)	D (♯ ♯)
Dó	...	...	G	D
Ré	...	...	A	E
Só	...	...	D	A
La	...	...	E	B

Is leis an gcéad shraith a bhaineann an chuid is mó den cheol. I modh Dó atá bunáite an cheoil a bhaineann leis an dara sraith ; is fíor-bheagán den cheol damhsa atá sna ranna eile den sraith seo. Is díol spéise gur i modh Dó na sraithe seo atá roinnt mhaith den cheol atá á chumadh ag ceoltóirí tuaithe an lae inniu agus gur leis an roinn chéanna den sraith sin riar mhaith de na cornphíopaí a tháinig chugainn as Sasana. D'fhéadfadh sé mar sin gur as truailliú—nó as feabhsú —ar an seanchóras a d'fhás an tsraith seo den cheol dúchasach.

Ní baintear leas go hiondúil ach as dá sheachtrán viz., F aiceanta agus C géar sa gceol mar a castar é. Ní mar a chéile chor ar bith an chaoi a mbaintear feidhm as an dá nóta seo. Bíonn F aiceanta faoi bhéim i gcónaí ; ní bhíonn C géar faoi bhéim. Ní hionann sin is a rá gur géar atá an C in áit ar bith nach gcuirtear béim air. Is minic C aiceanta le cloisteáil gan béim bheith air ach tá áiteanna áirithe nó cónasca áirithe a bhfuil an nóta seo géar i gcónaí iontu, m.sh. sa trírín maise bc♯d ; idir dhá D atá faoi bhéim ; i ndúnadh seo na ríleanna af♯ge f♯dec♯. Ní bhaineann an méad sin thuas, i dtaobh C géar le foinn an dara sraith ; bíonn an C géar i gcónaí sna foinn seo.

Is díol iontais an dá nóta C agus F ar bhealach eile. Is géire de bheagán iad sa gceol dúchasach ná a macasamhail ar an bpianó. Táthar á dhéanamh amach gur díreach leathbhealaigh idir B agus D ar an uirlis sin atá C aiceanta an cheoil dúchasaigh, sé sin gur ceathrúin ní b'airde ná C ar an bpianó bheadh C aiceanta ag na píobairí is ag na fidléaraí. D'fhéadfadh sé gurb in é an t-údar go mbíonn C♯ in áit C♮ chomh minic sin ag lucht an cháirdín. Aníos dhe shleamhnán ón E go dtí F♯ a dhéanann an ceoltóir tuaithe an F aiceanta

i riocht is nach airde sheasta chor ar bith atá san " F " seo. Is dá bharr sin nár bhain mé leas as an ngnáthchomhartha ach as réiltín leis an nóta seo a shonrú sna foinn. Thríd is thríd is fearr F♯ a bhualadh ina áit ar an bpianó is ar na boscaí ceoil.

Sé an trírín an t-aonad sna poirt dúbalta agus sna poirt luascaigh ; sé an ceathairéad an t-aonad sna ríleanna agus sna cornphíopaí. Cé go scríobhtar nótaí na ngrúpaí seo mar chamáin ní hionann fad dóibh sa gceol féin. Sé an chéad nóta de thrírín an phoirt an ceann is faide agus sé an dara nóta an ceann is giorra sa ngrúpa. Is faide an chéad nóta agus an tríú nóta sa gceathairéad ná an dara nóta agus an ceathrú nóta. Is faide go mór na nótaí seo sna cornphíopaí ná sna ríleanna i riocht is go bhféadfaí an chéad nóta agus an tríú nóta sa gcornphíopa a scríobh mar chamáin go leith. Amanta castar nótaí na n-aonad seo ar aon fhad agus ar aon bhéim mar mhaisiú ar an gceol. Cuirtear ponc faoi na nótaí leis an maisiú seo a thaispeáint. Sé an nóta deireanach an nóta is faide den cheathairéad a déantar mar mhaisiú sa bport. Mar threoir don neamh-dhúchasach tugtar an boghú do phort agus do ríl (Uimh. 36 agus 171).

Insím sna nótaí cé na hainmneacha eile atá ag na ceoltóirí nó atá sna leabhair ar an bhfonn. Luaim freisin cén leabhar ar cuireadh cló ar an bhfonn ann den chéad uair agus cé na leabhair a bhfuil fáil go héasca orthu inniu a bhfuil malairt leaganacha iontu. Mara bhfuil tagairt d'aon leabhar i nóta nó mara bhfuil nóta ar bith ann faoin bhfonn tá sé le léamh as sin nár cuireadh cló cheana ar an bhfonn chomh fada le m'eolas-sa. Meabhraítear don léitheoir gur cuireadh na céadta cnuasach i gcló ó lár an 17ú céad anall. Ba dána an té déarfadh mar sin nach ndeachaigh cló ariamh ar aon fhonn áirithe. Tá súil agam go maithfear dom é má rinne mé droichead d'aon fhonn ar an gcaoi sin is beidh mé faoi chomaoin mhór ag an léitheoir chuirfeas ar an eolas mé ina thaobh.

Cé go luaim ainm an cheoltóra a bhfuair mé an fonn uaidh ní shin é le rá gur aige sin amháin d'airigh mé an fonn atá i gceist. Tá corrfhonn ann nár airigh mé ach ag an duine atá luaite agam agus tá cuid mhaith acu ann atá ar eolas ag an bpobal mór cé nár cuireadh cló cheana orthu. Tá foinn freisin ann agus is ó dhaoine eile a bhfuil cuid dá gcuid ceoil agam féin anseo a fuair na ceoltóirí a luaimse iad. Tá mé thar a bheith buíoch de na daoine seo ar fad. Ba fial foighdeach a chaith siad liom is mé ag plé leis an saothar seo agus ba údar misní dom an spéis a chuir siad uilig ann. Sén trua é nár fhéad mé áit a fháil don cheol ar fad is don tseanchas a fuair mé uathu.

Ní mór dom buíochas a ghabháil le Séamas Mhac Gamhna, Leabharlannaí Bhardas Dhún Laoghaire, le foirne na Leabharlainne Náisiúnta agus na Comhairle Leabharlanna agus Leabharlann Choláiste na Tríonóide as ucht a gcórtas liom freisin. Go gcuití Dia a saothar is a soillos.

BREANDÁN BREATHNACH

AN MAISIÚ

Scríobhtar   Castar:-

Rollán a tugtar ar an trírín de nótaí maisithe a taispeántar thuas (m. sh., ag A thuas). Ní hionann fad do na nótaí atá ann; sé an nóta deireannach an ceann is giorra acu. Más ar chroisín go leith a déantar an maisiú seo rollán fada a tugtar air (m. sh., ag B thuas). Crannaíl a tugtar ar an maisiú a déantar ar an D agus ar an E ar an bpíb (m. sh., ag C thuas). Is minic an rollán mar déantar ar an bhfeadóig é le cloisteáil in áit na crannaíle ar an E sa gcéad ochtach;

Scríobhtar   Castar:-

Píb   Feadóg   Fidil   Cáirdín

rollán a déantar ar an E sa dara ochtach. Baintear leas as
an gcomhartha ∿ le taispeáint go gcastar an nóta féin agus
ceann is airde ná é roimhe mar dhá nóta maisithe (m. sh.,
ag D thuas). E a bheadh ag an bhfidléir in áit an F sa gcás
seo).   Ina shleamhnán aníos ón E a castar an F a bhfuil
*   os a chionn ar an bpíb.   Séard a dhéanann an fidléir
sleamhnú aníos ón F maol beagnach go dtí F géar.

POIRT DÚBALTA

1. Cailleach an Túirne

2. Pléaráca na Céise

B

3. Carraig an tSoip

4. Pingneacha Rùa agus Prás

5. Gleanntán na Samhaircíní

6. Tolladh an Leathair

7. An Fhuiseog ar an Trá

8. Bruacha Thalamh an Éisc

9. Cathaoir an Phíobaire

10. Ballaí Lios Chearbhaill

11. Port Uí Cheallaigh

12. Port Liadroma

13. An Maide Draighin

14. Buachaillí Bhaile Mhic Anndáin

15. An Boc sa gCoill

16. Sean-Tiobrad Árann

17. Bímíd ag ól is ag pógadh na mBan

18. Ard an Bhóthair

19. Íoc an Reicneáil

20. An Buachaillín Bán

21. Port an Bhráthar

22. Port Shean tSeáin

23. Scaip an Puiteach

24. An Píosa Deich bPíngne

25. Luighseach Nic Cionnaith

26. Droim Chonga

11

27. An Buachaillín Buí

28. Na Géabha sa bPortach

29. An Ghaoth Aniar Andeas

30. An Gandal i bPoll na bhFataí

31. Banríon na Luachra

32. Máirseál na nIománaithe

33. An Bóthar Mór go Sligeach

34. Sparán Airgid na Caillí

35. Port an Riagánaigh

36. An Ceoltóir Fánach

37. An Rós sa bhFraoch   Rose in the Heather

38. Ruaig an Mí-ádh

39. Airgead Réalach

40. An Píopa ar an mBaic

41. Cailleach an Airgid

42. Gearrchaile Bhaile Uí bhFiacháin

43. Siamsa Mhuilte Farannáin

44. Pádraic Mac Giollarnáth

45. Port Tíneatha

46. Gearóid de Barra

47. Fáinne Óir Ort

48. Rogha Liadroma

49. Port Uí Fhaoláin

50. Port Uí Mhuirgheasa Morrison's

51. Port Shligigh

52. An Crú Capaill

53. An Lá i ndiaidh an Aonaigh

21

54. An Seanchaí Muimhneach

POIRT SINGIL $\left(^6/_8\right)$
POIRT LUASCAIGH $\left(^9/_8\right)$
AGUS EILE

55. Rogha Mháire Ní Bhraonáin

56. Éilís Ní Cheallaigh

57. Mo Ghrása ar Maidin

58. Cis Ní Liatháin

59. Port an Achréidh

60. Oíche Nollag

61. An Brístín Mire

62. Fiafraigh de m'Athair é

63. Bóthar na gCloch

64. Pléaráca Dhoire an Chreasáin

65. Óró, a Thaidhg, a Ghrá

66. Pléaráca an Fuisce

67. Cnoic Aiteannach Liadroma

68. Aoibhneas Éilís Ní Cheallaigh

69. Cuir Barr Air

RÍLEANNA

70. Ríl an Bhreathnaigh

71. Máistreás an Tí

72. An Ghaoth Aniar

73. Ríl an Ghabha

74. An Gearrchaile taobh thiar den Bheár

75. Cailíní deasa Mhuigheo

76. Buachaillí Chill Sairn

77. An Mheaig Chabach

78. Coirnéal Mhac Ruaidhrí

35

D

79. Garranta Glasa Mheiriceá

80. Gearrchailiú Chontae Mhuigheo

81. Bearna na Gaoithe

82. Éilís Ní Bhrógáin

83. Gilibeart Mhac Fhlannchadha

84. Fuiseog an tSléibhe

85. Ríl Uí Dhiolúin

86. Bean an Tí ar lár

87. An tÉan ar an gCrann

88. Tim Ó Maoldómhnaigh

89. Budógaí Chonnacht

90. Bascadh Thomáis Mhic an Bháird

91. Cailín Bhaile an tSratha

92. An Chois Tinn

93. Barr an tSléibhe

94. An Mála Beag Fataí

95. Brian Ó Láimhín

96. Píopaí Greig

97. Rogha Sheoirse de Faoite

98. Ríl Thomáisín Uí Dheaghdha

99. An Garda Nua

42

00. Na Garranta Sailí

01. Gol agus Gáire na hÉireann

2. An Ceirtlín Snáithe in Aimhréidh

103.   An Gearrchaile sa gCrann Silíní

104.   An Chloch sa nGarraí

105.   Cnoic Fhada Mhughdhorna

06. Peata Mamaí

07. An Ríl Cam

108. Caisleán Uí Cheallaigh

109. An Bothán sa bPortach

110. Ríl Liaim Uí Airt

111. An Mála Fataí

12. Tarraing thar timpeall an Bhóthair í

13. An Chloch Aoil

14. Cailín na Gruaige Duibhe

47

115. Rogha Thomáis Uí Dhubhda

116. An Maide Fuinnseoige

117. An Chearc is a hÁl

18. Gearrchaile Shliabh Cisco

19. An Sceach

20. An Teach ar an gCoirnéal

49

121.　Iníon Mhic Aonghusa

122.　An Chomhdháil

123.　Mothar Riabhógach

124. Gearrchaile Shligigh

125. Méaracán an Táilliúra

126. Streanncán an Iascaire

127. An Turas go Darmhagh

128. Aisling Uí Chiardha

129. Aisghairm na hAontachta

130. An Seomra in Uachtar

An lú Bharra
den athchasadh

131. Fearghal Ó Gadhra

132. An Buachaill sa mBearna

133. Pádraic Spóirtiúil

134. Gearrchailiú Chaisleán an Bharraigh

135. An Ball Seirce

36. An Sean-draighneán

37. Ríl Uí Chruaidhlaoich

38. Ríl Uí Mhaolmhuaidh

139. Slán le hÉireann

140. Ríl Uí Mhuirgheasa

141. Sliabh Bána

42. Cathaoir an Iarla

3. Gearrchaile Oileán Píce

44. An Claíomh i Láimh

145. Pádraic Réice

146. Salamanca

147. Cill Abhaill

48. Na Bruachanna Gréine

49. An Chéim Cloiche

150. Tabhair póg don Bhrídeoig sa Leaba

151. Gearrchaile Bhaile Mhistéala

152. Mungo Ó Ceallaigh

53. An Cat d'ith an Coinneal

An lú bharra
den athchasadh

54. Luighseach Chaimbhéal

55. An Baisteadh

156. An Fhuiseog

157. Bairéad an Mháirnéalaigh

158. Thar an gCnoc

159. Buachaillí na Locha

60. Seán Ó Braonáin as Sligeach

161. Máire Bhéiceach

162. An Sean-Cholúr ar an nGeata

163. Ríl Mhic Aindriú

Silver Spire

64. An Spiora Airgid

65. Ríl Sholais Uí Laighléis

66. An Ceolchumann

167. An Smólach sa Stoirm

168. Rothaí an Domhain

169. Ríl na Cordaile

70. Aoibhneas Philip Uí Bheirn

71. Páirc na Nóiníní

72. Ríl na Gaibhle

173. An Buachaill sa mBád

174. Cáit Bhóidheach (An bun-leagan)

175. Cáit Bhóidheach (An chéad leagan)

Bonnie Kate

76. Cáit Bhóidheach (An dara leagan)

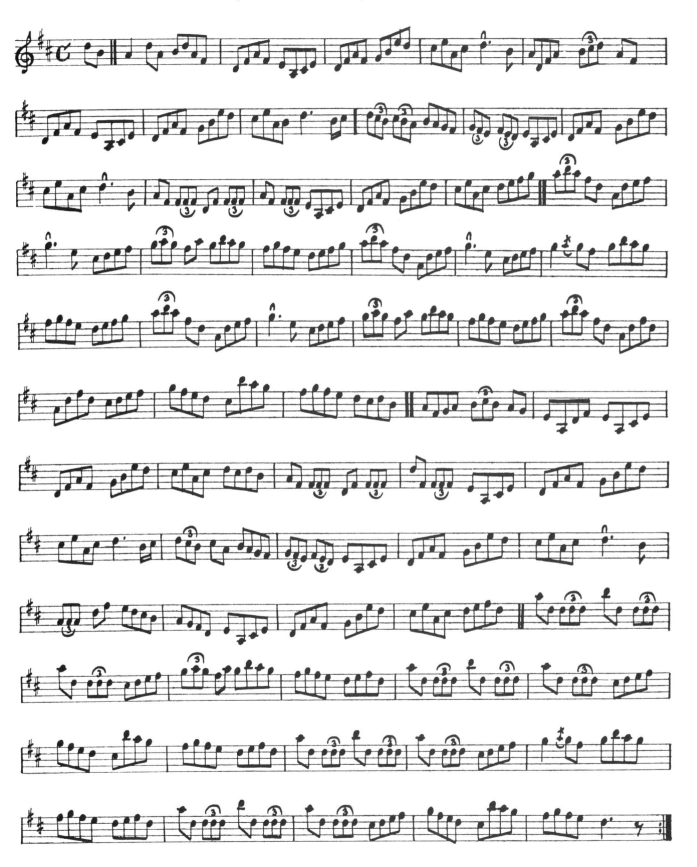

177. Baintreach na Radaireacht

178. Rogha Phádraig Uí Thuathaigh

179. Na Coillte Críona

80. An Dochtúir Gilibeart

81. Páirceanna Glasa Ros Beithe

82. Seán Frank

183. Ríl Liadroma

184. Bailitheoir Longphoirt

185. Cois an Ghiorria

186. Pléaráca Chaisleán na Finne

187. Ríl an Loinsigh

188. An Bhean Uasal ar an Oileán

73

189. Gearrchailiú an Dúin Mhóir

190. An Biadánaí

191. Pléaráca Lios an Daill

92. Gearrbhodaí Laoise

93. Gearrchailiú Bhaile Átha Cliath

94. Diúc Laighean

195. Craith na Cleiteacha

196. Cill Beathach

197. Banríon Bhealtaine

198. Giorria sa bhFraoch

199. Tiarna Wellington

200. Ríl na Tulaí

201. Ríl Mhic Eoin

202. Ríl Roscomáin

3. Tiarna Gordon

CORNPHÍOPAÍ

04. The Liverpool Breakdown

5. Chuir mé Feisteas ar mo Theachsa

06. Cornphíopa Sheoirse Uí Roghallaigh

207. An Londubh

208. Cornphíopa Uí Bhroin

209. An Ránaí

210. An Comhra Donn

211. Rogha Bhean Uí Ghealbháin

212. Cornphíopa Thomáis a Chnoic

85

213. Cornphíopa Uí Mhurchadha

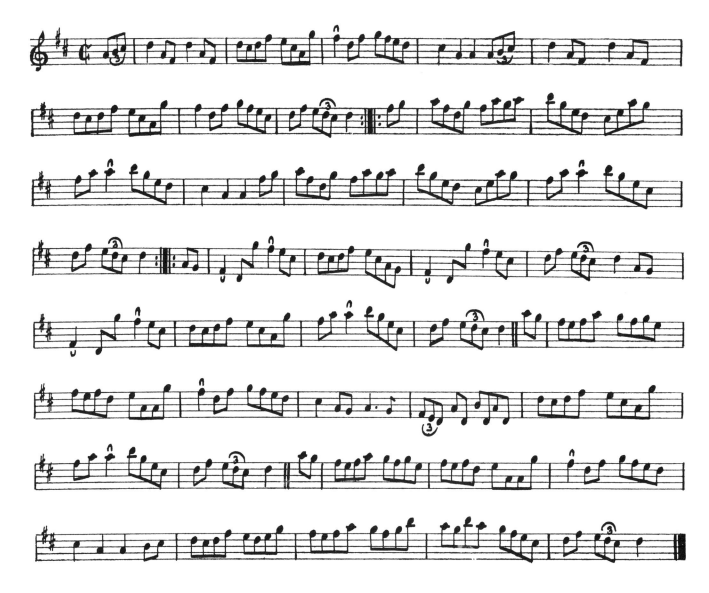

214. Rogha Mhicí Uí Cheallacháin

NÓTAÍ

I dTAOBH NA bhFONN

1. Cailleach an Túirne : Rutherford a chuir i gcló den chéad uair é taca na bliana 1756 sa tríú imleabhar leis den " Compleat Collection of 200 of the most celebrated Country Dances " (106). *The Wild Irishman* a thug seisean air. *Norickystie* a bhí ag Aird air ("A Selection of Scottish, English, Irish and Foreign Airs," 1,143) (c. 1782) agus aistriú ar an ainm sin, *Norah with the Purse*, a bhí ag Bunting air san tríú cnuasach leis (1840). Don fhonn seo a scríobh Tomás Ó Mórdha *Wreathe the Bowl*. Is leagan gágach dhe *The Road to Lurgan* atá ag Ó Néill (O'N i, 94). *Kiss me, darling* atá ar leagan eile atá ag Ó Néill san "Music of Ireland " (920). Chuir Ó Néill athchló ar an leagan den fhonn, *The Wild Irishman*, a foilsíodh san " Hibernian Muse " (c. 1787) (O'N iii, 109). " Cailín A' Tuirna " (*sic*) atá air san " Irish Uillean Pipes " d'fhoilsigh T. Ó Cruadhlaoigh i gCorcaigh (c. 1934). " Máire an Phórtair " atá ag Goodman air (G i, l. 34). *The Maid of the Spinning Wheel* is iondúil a bheith ag ceoltóirí anois air.

2. Pléaráca na Céise : Tá an chéad chuid den phort seo ar aon dul leis an gcéad chuid de *The Gudgeon of Maurice's Car* atá ag Ó Néill (O'N i, 288).

3. Carraig an tSoip : *The Cook in the Kitchen* a bhí ag an mBreathnach air. Tá leagan ag Ó Néill, *The Angry Peeler* (O'N i, 251). Is leagan de seo freisin " Buachaillí Bhaile Mhic Anndáin " (uimh. 14 anseo síos). *The Drunken Gauger* atá ag Goodman air (G i, l. 70).

4. Pingneacha Rua agus Prás : Sé *Larry Grogan* bunleagan an phoirt seo sna leabhair. Ba duine uasal de phíobaire a mhair sa gcéad leath den 18ú céad i Loch Garman an Grógánach seo. San " Country Dances Book the Second " (l. 23) le John Walsh a foilsíodh an port seo den chéad uair (roimh 1736).
Is ionann fonn (nó an chéad chuid) dó seo agus do *The Lasses of Melross* atá ag Aird (ii, 92) ach ní hionann casadh dóibh. Tá drochleagan darb ainm *Hartigan's Fancy* ag Ó Néill. Tá leagan eile faoi *Larry Grogan* aige agus is cuid den phort seo an casadh nó an dara cuid de *Finerty's Frolic*. *By your leave, Larry Grogan, Little Fanny's Fancy* agus *The County Limerick Buckhunt* ainmneacha eile atá ag Ó Néill air (O'N i, 3, 132, agus 231 faoi seach). *The Waves of Tramore* atá ar leagan eile atá aige san " Waifs and Strays of Gaelic Melody " (139). *Green Sleeves* atá ar an leagan d'fhoilsigh an Seoigheach (J ii, 142). Tugtar *The Humours of Ennistymon, The Humours of Miltown* agus *Lynn's Favourite* freisin air. *Coppers and Brass* is iondúil a bheith anois air i mBéarla.

5. Gleanntán na Samhaircíní : Tá *The Lark on the Strand* le cloisteáil á thabhairt ar an bport seo ach ní hé is ceart. Tá leagan de san " Irish Folk Dance Music " le J. O'Brien a foilsíodh i Roxbury, Mass., U.S.A. *Wicky Sears* atá ag an mBrianach air (123).

6. Tolladh an Leathair : Ceithre leagan den fhonn seo atá ag Ó Néill. *The Humours of Ayle House, The Kilfinane Jig, Come with me now* agus *When you go home* (O'N i, 261, 273, 312 agus 334). Tá an dúnadh contráilte aige sa dara agus sa tríú ceann agus tá an gléas-chomhartha mí-cheart i ngach ceann acu. *The Connaughtman* atá ag Levey air (L i, 55) agus *The Shoemaker's Fancy* atá ag an Róisteach air (R i, 93). Trí leagan atá ag Petrie ach gan ainm aige ar aon cheann acu (P iii, 964/6). *Boring the Leather* an t-ainm atá ag Goodman air (G iii, l. 99). *Down the back Lane* a bhí ag an bpíobaire féin air.

7. An Fhuiseog ar an Trá : Seo í an fhuiseog cheart nó deir muintir Shligigh gurb í, ar chaoi ar bith, agus sé atá ar leagan nach bhfuil rómhaith atá le fáil san " Irish Folk Dance Music " (137). Tá an port seo ar aon rith le *The Stolen Purse* (O'N iii, 160). Ba as *The Old Woman Lamenting her empty Purse* a rinneadh an ceann deireanach sin.

8. Bruacha Thalamh an Éisc : Tá leagan de seo san " Irish Folk Dance Music " (129).

9. Cathaoir an Phíobaire : Ó Liam Mhac Fhlannchadha, píobaire, fuair an Brógánach é seo. Foilsíodh é den chéad uair ag Petrie faoi *The Catholic Boy* (P i, l. 144). Fuair seisean ó Thiarna Príomhbharún na hÉireann é an 15ú Eanáir, 1852. Dúirt Petrie go ndeacha an sean-ainm Gaeilge amú air ach ba é an t-ainm sin a bhí ag Mac Fhlannchadha air. Níor bhac Stanford le ainm ar bith a thabhairt air (P iii, 282). *The Catholic Boy* freisin atá ag an Róisteach ar an leagan atá aige is atá ar aon nóta, ionann's, le leagan Petrie (R iii, 91).

10. Ballaí Líos Chearbhaill : Tá leaganacha eile ag Ó Néill, *The Merry Old Woman* (O'N i, 72) agus *The Walls of Enniscorthy* (O'N iii, 150) ; ag an Seoigheach, *The Rakes of Newcastle West* (J ii, 348) ; ag an Róisteach, *Repeal of the Union* (R i, 80/81) agus ag Hardebeck, *Wollop the Potlid* (H i, 20). Tugtar *The Walls of Liscarroll* agus *The Mouse in the Cupboard* ar an bport freisin. Tá an chéad ainm acu sin ag an Róisteach ar phort a dtugtar *Tumble the Tinker* go hiondúil air (R i, 89).

11. Port Uí Cheallaigh : Tugtar *The Killimer Jig* freisin air.

12. Port Liadroma : Is ar an bport seo bunaíodh an *Lullaby for Irish Pipes* d'fhoilsigh Ó Néill san " Waifs and Strays of Gaelic Melody " (9). Tá leagan eile den phort seo nó ceann a bhfuil gaol aige leis seo, *The Lasses of Limerick*, sa leabhar sin (182) freisin. B'as an " Pocket Companion for the Irish or Union Pipes " le Ó Fearghail a bhain Ó Néill an port sin. Leaganacha eile dhe *Stack the Rags, The Humours of Castleoliver, Will you come down to Limerick* (= *The Munster Gimlet*) agus *A Whack at the Whigs*, atá ag Ó Néill freisin (O'N i, 379, 401, 415 agus 424). Is d'aon bhunadh amháin iad na foinn atá luaite agus *The Gold Ring* atá ag Ó Néill (O'N i, 12) agus *The Pharroh or War March* d'fhoilsigh Bunting ina chnuasach sa mbliain 1840.

13. An Maide Draighin : Thugadh Seán Potts *The Blackthorn Stick* air seo ; *The Maid at the Well* atá ag Ó Néill air (O'N i, 24). Tá leagan eile i gcló aige faoin ainm *The Milkmaid* (O'N iii, 152). *The Maids of Glenroe* atá ag an Róisteach air (R i, 83). *The Black Stripper* agus *The Kilkenny Jig* atá ag Goodman air (G i, 35 agus G ii, 139). *Arthur McBride* agus *The Castle Street Jig* atá freisin air.

14. Buachaillí Bhaile Mhic Anndáin : Tá leagan de ag an Róisteach a dtugann sé " Suirighe an Áilteora " (*The Caffler's Courtship*) air (R iii, 90). Tá an dúnadh contráilte aige. Tá leagan eile, *Away to the Bogs*, san " Collection of Traditional Irish Dance Music " (80) le P. J. Giblin (Baile Átha Cliath, 1928). Tá gaol aige seo le " Carraig an tSoip " (uimh. 3 thuas).

15. An Boc sa gCoill : Is ionann fonn dó seo agus don *Humours of Ballingarry* (O'N i, 92) ach ní leis an bport an casadh nó an dara cuid atá tugtha ag Ó Néill. *Out all night* agus *Molly's Favourite* ainmneacha eile air seo.

16. Sean-Tiobrad Árann : Tá an dara cuid den fhonn seo ar aon rith beagnach leis an gcéad chuid den *Munster Lass* a foilsíodh in " Walker's Hibernian Magazine " (Bealtaine, 1787).

17. Bímíd ag ól is ag pógadh na mBan : As amhrán a scríobh Eoghan Rua Ó Súilleabháin tuairim is 1780 a hainmníodh an port seo. Thug Petrie an t-amhrán agus leagan den fhonn san " Ancient Music of Ireland " (P i, ll, 130/1). Tá an leagan sin agus leagan eile is goire do mo cheannsa tugtha ag Stanford (P iii, 1063/4). An té a chloisfeadh Liam Mhac Fhlannchadha ag casadh an phoirt seo agus seanphoirt Mhuimhneacha eile den chineál seo ar na píopaí thiocfadh sé le Petrie sa méid atá ráite aige sa nóta faoin fhonn seo i dtaobh ceol agus muintir Chontae an Chláir. Tá leagan ag Ó Néill freisin san " Music of Ireland " (479) agus san " Irish Music " leis (O'N ii, 9). *Let us be drinking, I court the fair Maidens* agus *My name is O'Sullivan*, na hainmneacha eile atá aige air.

18. Ard an Bhóthair : Mé féin a thug an t-ainm seo air.

19. Íoc an Reicneáil : *Jackson's Bottle of Punch* a thug Eliz. Rhames air seo i leathnachán ceoil d'fhoilsigh sí tuairim is 1785. *Pay the Reckoning* thug Ó Fearghail air san " Pocket Companion " (i, l. 17) ; uaidh sin bhain mé an t-ainm. Tá *Bobbing for Eels, Fishing for Eels, Jackson's Jug of Punch* agus *Jackson's Bottle of Brandy* ag Ó Néill air (O'N i, 145). *The Bottle of Punch* atá ag Levey air (L i, 23). Tugtar *The Butchers of Bristol* agus *The Old Man's Jig* freisin air. *Groom* nó *Larry Grogan* a thug Goodman air (G iv, 11). Ní cosúil le cuid Mhic Shiacais é.

20. An Buachaillín Bán: Tá leagan ag Ó Néill, *The Fairhaired Boy* (O'N i, 158). Tá leagan eile aige, *The Last of the Lot*, nach bhfuil thar mholadh beirte (O'N iii, 193). " An Buachaillín Bán " atá ag an Róisteach air (R i, 120). Tugtar *The Boys from Carrickroe* agus *The Freheen Jig* freisin air.

21. Port an Bhráthar: *Did you see my man looking for me?* a thugadh Seán Potts air seo. Tá port den ainm sin ag Ó Néill agus véarsa d'amhrán théas leis is ní fheilfeadh an véarsa sin chor ar bith don phort atá agamsa (O'N iii, 24).

22. Port Shean tSeáin: Mé féin a bhaist é. Ní chasadh Seán Potts an port seo ná an ceann atá roimhe chomh sciobtha sin is go ndéanfaidís le haghaidh damhsa. Tá port ag Levey (L i, 87) agus an port céanna ag Ó Néill, *The Short Grass* (O'N i, 197) a dtabharfadh cupla barra dhíobh an port seo chun cuimhne dhuit.

23. Scaip an Puiteach: Tá leagán ag Ó Néill (O'N i, 187) agus ceann eile ag an Róisteach, *The Maids of Tramore* (R i, 129). Tá an fonn atá ag an Róisteach fabhtach as a dheireadh agus ní den phort chor ar bith an casadh atá tugtha aige. Tugtar *The Noonday Feast* freisin ar an bport seo.

24. An Píosa Deich bPingne: Ní raibh aon ainm ag an Roghallach air seo. Is leagan de seo *The Tenpenny Bit* atá ag Ó Néill (O'N i, 162) agus uaidh sin bhain mé an t-ainm. Tugtar an t-ainm sin freisin ar phort eile a mbíonn *The Three Little Drummers* go hiondúil air.

25. Luighseach Nic Cionnaith: Ón mbean atá luaite san ainm a fuair an Faoiteach é seo.

26. Droim Chonga: *The Lark on the Strand* a thug an Roghallach air ach tharla an t-ainm sin agam cheana féin, thug mé féin an t-ainm sin thuas air.

27. An Buachaillín Buí: Ón leagan d'fhoilsigh Ó Fearghail san " Collection of National Irish Music for the Union Pipes " (c. 1797) bhain mé an t-ainm. Tá dhá leagan aige san " Pocket Companion ". Thug Ó Fearghail *Galloway Tom* freisin ar an bhfonn seo ach má thug níl aon ghaol aige leis an *Gallua Tom* atá i lámhscríbhinn Straloch ná leis an *Galloway Tom* atá san " Scots Musical Museum " (325). Sé leagan atá ag Ó Néill san " Music of Ireland ", ceithre cinn acu i ngan fhios dó féin, shílfeá: *The Little Yellow Boy* (706); *Galway Tom* (744/5); *The Thrush's Nest* (855); *The Goat's Horn* (926); agus *The Spotted Cow* (983). Dhá leagan atá aige san " Dance Music of Ireland " *Galway Tom* (34) agus *The Spotted Cow* (199). *Galway Town* atá ag an Seoigheach air (J ii, 806). *The Lark in the Morning* is iondúil a thabhairt anois air ach tugtar *Come in the Evening, The Kelso Races, The Welcome* agus *A Western Lilt* freisin air.

28. Na Géabha sa bPortach: Tá an chéad dá chuid i gcló ag Petrie (P iii, 940) agus ag Ó Néill chomh maith (O'N i, 279). Tá gaol ag an bport seo le *Saddle the Pony* atá ag Levey (L i, 43) agus le *The Housemaid* atá ag an Seoigheach (J ii, 841).

29. An Ghaoth Aniar Andeas: Is iondúil *Connie the Soldier* a thabhairt air seo anois agus sé an t-ainm sin atá ag Ó Néill air (O'N i, 67). *Coffee and Tea* atá ag Goodman air (G iii, 178). Tugtar *Aineen's Double, The Cherry Grove* agus *Jimmy the Tailor* freisin air. Tá an dá mhír den chéad chuid agamsa ar leathmhaing, de bheagán. Ba cheart an chéad trírín den tríú barra a athrú anonn go dtí tosach an seachtú barra. Ó Sheán Ó Cheallaigh a fuair mé an t-ainm agus scéal freisin dá mhíniú. D'fhoilsigh Petrie dhá leagan, amhrán agus port; *Banish Misfortune* a thug sé ar an amhrán agus " Bacach na Cleithe " ar an bport (P ii, l. 41). Ó Phádraig Ó Chonghaile, píobaire, a fuair sé an port sa mbliain 1840. Dúirt Petrie go ndeirtí " Máire Inis Toirc " leis an bhfonn sin. Ní leis a deirtear an t-amhrán sin i gCois Fhairrge anois.

31. Banríon na Luachra: Is leagan de seo *The Ladies March to the Ballroom* (*A Connaught Jigg*) atá ag Petrie (P iii, 936). Tugtar *The Battering Ram* freisin air. Tá port eile a dtugtar an t-ainm deireanach sin freisin air.

32. Máirseál na nIománaithe: Óna athair a fuair Liam Mhac Fhlannchadha an fonn seo. *The Hurlers' March* a thugadh seisean air. *The Humours of Ballyloughlin* a thugadh a mháthair air.

36. An Ceoltóir Fánach : Leagan den phort seo an chéad chuid de *Willy Walsh's Jig* agus de *The Merry Maiden* atá ag Ó Néill (O'N i, 88 agus 267). Ní mheasaim gur den phort seo an casadh atá tugtha ag Ó Néill. *The Dandy Scholar* ainm eile air seo.

37. An Rós sa bhFraoch : Tá leagan le fáil san "Irish Folk Dance Music" le J. O'Brien (141).

38. Ruaig an Mí-ádh : Sén Seoigheach is túisce a chuir an port seo i gcló faoin ainm *The Bag of Meal* (J i, 41). *The Little Bag of Meal* or *Humours of Mullinafauna* atá ag an Róisteach air (R i, 85). *Banish Misfortune*, *The Humours of Mullinafauna* agus *Nancy Hines* na hainmneacha atá ag Ó Néill ar na leaganacha atá aige san "Dance Music of Ireland" (53, 106 agus 150 faoi seach). Thug Petrie an chéad ainm acu seo ar leagan den "Ghaoth Aniar Andeas" (féach 29 thuas). "Máire Ní Eidhinn" atá aige ar an bport seo (P iii, 1542). *Round the Cart House* ainm eile air.

39. Airgead Réalach : Is leagan de seo *The Madcap* atá san "Feis Ceoil Collection of Irish Airs" (27) a foilsíodh san mbliain 1914. Trí chéad baraille "d'airgead réalach" chuir Clíona i dteanta agus í ag iarraidh Seán ac Séamais a choinneáil aici féin óna bhean chéile. Tá an scéal seo le fáil san "Seanchaí Muimhneach". *Sixpenny Money* a bhí ag an gceoltóir féin air, "aistriú" is dóigh ar an ainm Gaelach.

40. An Píopa ar an mBaic : Is port eile an ceann atá ag Petrie (P i, l. 114) agus ag Ó Néill (O'N i, 9) a bhfuil an t-ainm céanna air.

41. Cailleach an Airgid : Tá leagan a bhfuil *I was born for sport* air ag Petrie (P iii, 826). Ó Phádraig Ó Chonghaile scríobhadh síos é sa mbliain 1845. Is goire go mór do mo leaganansa an ceann atá ag Ó Néill (O'N i, 21). Tugtar *My Brother Tom* freisin air. Seo an curfá den amhrán théann leis an bhfonn :

> Sí mo Mhamó í, sí mo Mhamó í,
> Sí mo Mhamó í, cailleach an airgid.
> Sí mo Mhamó í, as baile Iorrais Mhóir í
> Is chuirfeadh sí cóistí ar bhóithre Chois Fhairrge.

42. Gearrchaile Bhaile Uí bhFiacháin : Tugtar *A Trip to Athlone* freisin air.

43. Siamsa Mhuilte Farannáin : Castar an port seo ceathrach níos airde freisin. Tá an chéad cheithre bharra den chasadh le fáil sa bhfonn *Christmas Day in the Morning* atá ag Aird (iii, 440).

44. Pádraig Mac Giollarnáth : Ón bhfear atá luaite san ainm a fuair an Faoiteach é.

45. Port Tíneatha : Tugtar *Delaney's Jig* freisin air seo (sé Donnchadh Ó Dubhshláine, píobaire, as Béal Átha na Sluagh atá i gceist).

46. Gearóid de Barra : Óna athair fuair Liam Mhac Fhlannchadha an port seo ; chuala seisean é ag Gearóid de Barra, píobaire, a bhí faoi réim in Iarthar an Chláir trí scór blianta ó shin. Is leagan de seo *Sergeant Early's Jig* atá ag Ó Néill (O'N i, 25), agus "Port an Achréidh" atá agam féin (Uimh. a 59 anseo síos). Tá leagan eile ag Hardebeck a bhfuil *Tune the Fiddle* aige air (H i, 12). *The Ladies' Fancy* ainm eile air.

47. Fáinne Óir Ort : *The Gold Ring* a bhí ag an mBrógánach air seo. D'athraigh mé an t-ainm mar tá port eile faoin ainm sin ag Ó Néill.

49. Port Uí Fhaoláin : Ba feadánach i seanbhuíon cheoil Bhaile na Cille an Faolánach atá i gceist san ainm. Tugtar *The Rookery* freisin air. Is leagan eile den fhonn seo an chéad phort eile ina dhiaidh.

50. Port Uí Mhuirgheasa : Tá leagan de seo ag Ó Néill a dtugann sé *Paddy Stack's Fancy Jig* air (O'N iii, 157).

51. Port Shligigh : Ó Freddy Ó Finn, fidléara as na Coillte Críona i Sligeach, a fuair an Brógánach an port seo.

52. An Crú Capaill : Ní raibh aon ainm ag an gCeallach air seo. Mise a bhaist é.

53. An Lá i ndiaidh an Aonaigh : Ba air seo a bunaíodh, déarfainn, " An Seanghé Liath." Tá leagan ag Petrie, *All Alive*, a bhain sé as lámhscríbhinn de chuid an 18ú céid (P i, l. 41). Tá dhá leagan ag Ó Néill, *All Alive* agus *Billy Barlow* (O'N i, 295 agus.102) agus ceann ag an Róisteach a dtugann sé *The Wheels of the World* nó *The Day after the Fair* air (R i, 84). *His Home and his Country* ; *I know not whether to laugh or to cry* ; *I would not give my Irish wife* agus *You're welcome to Waterford* ainmneacha eile atá ag Ó Néill air.

55-56. Rogha Mháire Ní Bhraonáin agus **Éilís Ní Cheallaigh :** Óna mháthair fuair an Ceallach iad seo ; óna máthair fuair sise iad. Ba uathu a hainmníodh iad.

58. Cis Ní Liatháin : Ón mbean a bhfuair an Faoiteach uaithi é a hainmníodh an port seo. *Paddy McFadden* atá ag Goodman air (G i, 101).

60. Oíche Nollag : Is port coimhthíoch é seo, déarfainn. Tá sé ar aon rith beagnach le, *There's nae luck about the house.* Is leagan de *The Strawberry Blossom* atá ag Petrie (P iii, 484). Leaganacha dá chéile an chéad chuid dhe seo agus an chéad chuid d'Uimh. 154 agus 258 (foinn gan ainm), den *Mill Stream* agus de " Ghile Beag le m'Anam Thú " atá ag Petrie freisin (P iii, 154, 258, 396 agus 1151). Tá an casadh ag an Seoigheach san *Irish Minuet* (J ii, 207). Castar ina ríl freisin é.

61. An Brístín Mire : Tá leagan de seo ag an Seoigheach (J ii, 287). Ba uaidh a bhain mé an t-ainm. Ní den fhonn seo an tríú cuid atá tugtha aige. Séard tá sa " mBrístín Mire," *The Frieze Breeches*, nó *Gallagher's Frolics*, ina phort singil. Seo véarsa as amhrán a deirtear leis an bhfonn seo i gConamara :

"Cé hé sin thíos ag briseadh na gclaíocha ?" (faoi thrí)
"Mise féin " a deir Connla.
"'Chonnla chroí ná teara níos goire dhom," (faoi thrí)
"Mhaisce, tiocfad," a deir Connla. (Tomás Mac Diarmada as an Lochán Beag thug é seo dom.)

62. Fiafraigh de m'Athair é : Leaganacha de seo *Ask my Father* (ba uaidh a thóig mé an t-ainm) agus *With all my Heart* atá ag Ó Néill (O'N i, 367 agus 368).

63. Bóthar na gCloch : *Bob and Joan* tugtar air seo go hiondúil. Tá *Bobbing Joan* le feiceáil corr-uair air sna seanchnuasachta. Seo véarsa d'amhrán deirtí leis :

Hi for Bob and Joan,
Hi for Stoneybatter ;
Leave your wife at home
Or surely I'll be at her.

Is deacair a rá cé is túisce a chuir an port seo i gcló mar tá sé le fáil in go leor cnuasachta nach bhfuil dáta ar bith orthu ach ar cosúil orthu gur sa leath deireanach den 18ú céad a foilsíodh iad. Baineadh leas as an bhfonn sa gceoldráma " The Wife of Two Husbands " ; *Love and Whiskey* ainm an amhráin a cuireadh leis ann. Is don bhfonn seo a scríobh Tomás Ó Mórdha *Fill the Bumper Fair.* Tá leagan i gcló ag an Róisteach (R ii, 345). Níl aon ghaol aige seo le *Bobbing Joe* (*Bobby and Joan* nó *Bob in Joe*) atá ag Playford san " Dancing Master ". *Hey for Stoney Batter* atá air san " Gems of Ireland " (l. 52) le J. Clinton (c. 1840).

64. Pléaráca Dhoire an Chreasáin : Tá gaol ag an bport seo le *The Foxhunters' Jig* nó " Nead na Lachan sa mBúta " mar tugtar air sin i gConamara.

65. Óró, a Thaidhg, a Ghrá : Ar leathanach seachráin as leabhair ceoil foilsíodh i Meiriceá, d'réir cosúlacht, fuair mé dhá leagan den phort seo a raibh *The Peeler Jig* agus *Barney's Goat* orthu. *Skin the Peeler,* an t-ainm atá ag Goodman air (G i, 34). *Late Home at Night* ainm eile atá i gCiarraí air. Seo véarsa as amhrán deirtear leis an bhfonn i gConamara :

> 's óró, a Thaidhg, a ghrá,
> 's óró a Thaidhg, a chumainnín,
> 's óró a Thaidhg, a Thaidhg,
> 's óró a Thaidhg, a chumainnín.
> D'éirigh Tadhg aréir ;
> Chuaigh sé ag fiach na ngirríacha ;
> D'éirigh Máire ina dhéigh,
> 's lean sí é sna bonnachaí.

Ó Mháire Áine Ní Dhonnchadha as an gCnoc fuair mé an t-amhrán seo agus *Cailleach an Airgid* chomh maith.

68. Aoibhneas Éilís Ní Cheallaigh : Óna mháthair fuair an Ceallach é seo.

69. Cuir barr air : Is leagan de seo an *Connemara Jig* atá ag Levey (L i, 100).

71. Máistreás an Tí : D'aon bhunadh amháin an fonn seo agus " Bean an Tí ar Lár " (Uimh. 86 anseo síos). Tá leagan ag Ó Néill a bhfuil mianach an dá leagan agamsa go follasach ann (O'N i, 565). Tá leagan eile ag an Seoigheach a dtugann sé *The Cows are a-Milking* air (J ii, 346).

72. An Ghaoth Aniar : Is ionann fonn (nó an chéad chuid) dó seo agus do ríl a bhfuil *James Ryan's Favourite* air san " Irish Folk Dance Music " (153).

73. Ríl an Ghabha : Is leagan de seo an *Green Garters* atá ag Ó Néill (O'N i, 706). Tugtar *The Blacksmith's Daughter* freisin air.

74. An Gearrchaile taobh thiar den Bheár : Tá leagan den ríl seo, *Kiss the Maid behind the Barrel,* ag Ó Néill (O'N i, 571). Tá chúig leagan atá mórán mar a chéile ag Petrie, *Clonmell Lassies, The Bruisus* or *Kiss the Maid behind the Barrel(s)* (P iii, 479 agus 884/7). Níor airigh mé ariamh sa ríl seo an F maol atá scríofa ag Petrie. Tugtar *Kiss the Maid behind the Barn* agus *The Maid behind the Bar* freisin air seo.

75. Cailíní Deasa Mhuigheo : Tá leagan lom gan ainm ag an Seoigheach (J i, 51). *Sweet Biddy of Ballyvourney* atá ag Ó Néill air ach ní leis an bhfonn an casadh atá tugtha aige (O'N i, 566). Is leis an bhfonn seo a deirtear " Peigín Leitir Mór ". Tugtar *Sweeney's Reel* freisin air.

78. Coirnéal Mhac Ruaidhrí : Tá an casadh dhe seo ar aon rith leis an gcasadh d'uimh. 154 ag Petrie (P iii, 154).

79. Garranta Glasa Mheiriceá : Is mar a chéile an ríl seo a dtugtar *Mollie Brannigan* freisin air agus *Cossey's Jig* a foilsíodh den chéad uair in " Jackson's Celebrated Tunes " (1774). Tá leagan den phort faoin ainm *Jimmy O'Brien's Jig* agus den ríl faoi *The Green Fields of America* ag Ó Néill (O'N i, 206 agus 513 faoi seach). Tugtar *Judy Brannagan, Charming* (agus *Purty*) *Molly Brallaghan* chomh maith le *Judy Brallaghan* air freisin.

80. Gearrchailiú Chontae Mhuigheo : Is leagan de seo *The Old Maids of Galway* atá ag Ó Néill (O'N i, 654). Tugtar *The Green Meadows, The Ballina Lass, The Hag's Reel* agus *Paddy's gone to France* freisin air.

81.   Bearna na Gaoithe : Tugtar *Ah Surely* agus *Killabeg's House* freisin air seo. Tá leagan de a bhfuil an t-ainm deireanach sin air san " Irish Folk Dance Music " (185).

83.   Gilibeart Mhac Fhlannchadha : Tugtar *John Reid's Favourite* freisin air.

84.   Fuiseog an tSléibhe : Tá leagan a dtugann sé *The Steam packet* air ag Ó Néill (O'N i, 517). *The Gauger* agus *The Mountain Lark* na hainmneacha eile atá ag Ó Néill air. *Lady O'Brien's Reel* agus *The Frieze Kneebreeches* atá ag Goodman air (G ii 41 agus ii, 158) agus *Father Henebry's Reel* atá ag Hardebeck air (H ii, 22). Tá drochleagan ag an Róisteach a dtugann sé " An Colamór Súgach " air (R iii, 78). Tugtar *The Connacht Rangers* agus *O'Connell's Reel* freisin air.

85.   Ríl Uí Dhiolúin : Tá leagan ag Ó Néill a bhfuil *Dillon's Fancy* air (O'N i, 540).

**86.   Féach an nóta ag 71 thuas.

88.   Tim Ó Maoldómhnaigh : Foilsíodh den chéad uair é san "Feis Ceoil Collection of Irish Airs" (14) san mbliain 1914. *Molony's Reel* atá air sa gcnuasach sin.

89.   Budógaí Chonnacht : Tá leagan fabhtach ag Petrie a dtugann sé *The Silver Mines* air (P iii, 913).

90.   Bascadh Thomáis Mhic an Bháird : *The Mourne Mountains* atá ar an leagan de seo atá ag Ó Néill (O'N i, 477). Tugann Ó Néill *The Long Hills of Mourne* agus *Peggy, is your head sick ?* freisin air. *The Purty Girl* atá ag an Róisteach air (R i, 177).

91.   Cailín Bhaile an tSratha : Tá leagan ag an Seoigheach (J ii, 356). Tugtar *The Mountain Dew* freisin air.

94.   An Mála Beag Fataí : *The Bag of Potatoes* a bhí ag Micheál Ó Tiobraide air seo ; d'athraigh mé an t-ainm i ngeall ar ríl eile den ainm a bheith agam cheana féin. Séard tá sa ríl seo agus sa gceann atá roimhe ríleanna le haghaidh set. Mír amháin ach é athchasadh is iondúil a bheith i ngach cuid. Tá an cineál seo an-fhairsing, adeir an Tiobraideach liom, i gCo. an Chláir. Is cineál ann féin iad ach b'fhurasta ríleanna cearta a dhéanamh díobh.

95.   Brian Ó Láimhín : Ón bhfear atá luaite san ainm a fuair an Faoiteach an ríl seo.

96.   Píopaí Greig : Tá an leagan d'fhoilsigh Ó Fearghail san " Pocket Companion " i gcló ag Ó Néill san " Waifs and Strays of Gaelic Melody " (288). San nóta scríobh sé faoi, dúirt Ó Néill gurbh é Joshua Caimbhéal a chum an ríl seo agus gur chuir sé i gcló é sa mbliain 1779. Bhí sé i gcló roimhe sin ag Nial Stíobhard (1761). Is leagan den chéad chuid den ríl seo an chéad chuid de *The Edenderry Reel* atá ag Ó Néill (O'N i, 770). Is droch-leagan de *Limber Elbow* atá i gcló aige freisin (O'N iii, 268). Tugtar *Connolly's Reel* air seo i gCo. an Chláir. *The Kerry Huntsman* ainm eile air. *Kregg's Pipes* atá ag go leor ceoltóirí air ach ní hé is ceart.

97.   Rogha Sheoirse de Faoite : Tá leagan eile san " Irish Folk Dance Music " (162). Tá *The Lass of Carrowcastle* freisin air.

99.   An Garda Nua : Tá leagan faoin ainm *The New Policeman* ag Ó Néill (O'N i, 511). Uaidh sin an t-ainm. Tugann Ó Néill *Paddy Bolster's Reel* agus *The Twinbrothers' Reel* freisin air. *Lady Cork's Reel* atá ag Goodman air (G iii, 65). *The Tinker's Stick* ainm eile air.

102. An Ceirtlín Snáithe in Aimhréidh : D'aon bhunadh amháin iad an ríl seo *Kate Kelly's Fancy, Nellie O'Donovan* agus *The Ravelled Hank of Yarn* atá ag Ó Néill (O'N i, 483, 638 agus O'N iii, 233). Tugann Ó Néill *The Cat that ate the Sidecomb* freisin air.

103. An Gearrchaile sa gCrann Silíní : *The Curragh Races* atá ag Ó Néill ar na leaganacha den ríl seo atá aige (O'N i, 544 agus O'N iii, 285). Is leagan de seo *The Humours of Old Knockaney* atá ag an Róisteach (R iii, 83). Tugtar *Coleman's Fancy* air freisin.

105. Cnoic Fhada Mhughdhorna : Tá leagan ag Ó Néill a bhfuil *Captain Rock* aige air (O'N i, 781) agus leagan eile ag Petrie a bhfuil sé ráite ina thaobh gur County of Clare reel é (P. iii, 907). Tugtar *The Old Bush Reel* agus *The Bush Reel* freisin air.

106. Peata Mamaí : Seo na leaganacha atá ag Ó Néill : *Timothy Downing* san " Music of Ireland " (1334) ; *Downing's Reel* (O'N i, 591) agus *Mamma's Pet* (O'N iii, 222). Tá leagan fabhtach ag Hardebeck a dtugann sé *The First House in Connaught* air (H ii, 3).

107. An Ríl Cam : Leis an bhfonn seo ar ndóigh deirtear an t-amhrán, *Follow me down to Carlow*. Tá dhá leagan ag Ó Néill, *Follow me down,* agus *Follow me down to Carlow* (O'N i, 547 agus 988). *Miss Murphy* atá ag Goodman air (G ii, 156 agus G iii, 182). Castar ina phort freisin é. *Bonnie Annie* a tugtar in Albain air. Tá sé i gcló sa " Glen Collection of Scottish Dance Music " (i, l. 23) ; as cnuasach le Dow a foilsíodh c. 1775 a bhain seisean é. Chuir Aird cló freisin air (iii, 548).

108. Caisleán Uí Cheallaigh : Tá leagan ag an Seoigheach (J ii, 359) agus leagan ag an Róisteach a dtugann seisean " Cumar na Cathrach " air (R iii, 75).

109. An Bothán sa bPortach : Tá an chéad is an tríú cuid ag Ó Néill faoin ainm *The Cashmere Shawl* (O'N i, 599). Níor cuireach cló ar an dara cuid atá agam.

110. Ríl Liam Uí Airt : Ón bhfear cairdín a bhfuair an Brógánach an fonn uaidh a hainmníodh an ríl seo.

111. An Mála Fataí : Tá leagan eile ag Ó Néill, *The Sligo Dandy* (O'N iii, 321).

112. Tarraing thar timpeall an Bhóthair í. *The Pullet* agus *The Pullet and the Cock* atá ag Petrie ar dhá leagan a fuair sé den ríl seo (P iii, 458 agus 585).

113. An Chloch Aoil : *Tit for Tat* atá ag Ó Néill ar leagan eile de seo (O'N i, 688).

114. Cailín na Gruaige Duibhe : *The Blackhaired Lass* atá ag Ó Néill air seo (O'N i, 585). Is leagan de *The Dark Gate Girl* atá ag Goodman (G i, l. 158). Tugtar *The Dark Haired Girl* agus An Cailín Donn freisin air.

115. Rogha Thomáis Uí Dhubhda : Tá gaol aige seo leis an " Maide Fuinnseoige " (uimh. 116 agam féin).

117. An Chearc is a hÁl : *The Galway Harebait* atá ag Goodman air seo (G iii, l. 145). *The King of the Cellar* ainm eile air.

118. Gearrchaile Shliabh Cisco : Tá leagan de seo, *The Maid of Mount Kisco*, san " Irish Folk Dance Music " (180).

119. An Sceach : Tá leagan fabhtach gan aon ainm ag an Seoigheach (J i, 62). Sén leagan céanna, ionann's, atá ag Ó Néill. *The Five-leaved Clover* a thug seisean air (O'N ii, 248 agus O'N i, 519). *The Heel of the Hunt* atá aige air san Waifs and Strays (O'N iii, 311). Tugtar *The Hunter's Purse* agus *The Haymaker* freisin air.

124. Gearrchaile Shligigh : Is leagan de seo *The Glendowan Reel* atá ag Ó Néill (O'N iii, 325). Tugtar *The Glendoan Fancy* freisin air.

126. Streancán an Iascaire : Is ionann casadh dó seo agus do " Phort Shean tSeáin " (uimh. a 22). Sén dúnadh féin is cinntsiocair leis an modh a athrú. Déarfainn gur as an bport a fáisceadh an ríl marach gurb ionann an ríl seo agus an ríl singil nó " seanpholka " a dtugtar *The Siege of Ennis* air (R iii, 139). Aisteach go leor is mar a chéile an chéad chuid den ríl agus an dara cuid de *Lady Mary Lindsay* (" The Glen Collection of Scottish Dance Music ", i, l. 10). As cnuasach de ríleanna Albanach chum John Riddle is a foilsíodh tuairim is 1766 bhain Glen é. Tá dhá leagan ag Ó Néill, *Cunningham's Fancy* agus *Molly what ails you?* (O'N ii, 555 agus 652). *The Pretty Girls of the Village* atá ag an mBrianach ar leagan eile de (" Irish Folk Dance Music ", 178). *Funny Eye* a bhí ar an bhfonn seo ar leathnachán ceoil d'fhoilsigh Hime i mBaile Átha Cliath tuairim is 1810. *You're right my Love* ainm eile atá air.

127. An Turas go Darmhagh : Séard tá sa tríú cuid malairt leagain ar an gcéad chuid d'airigh Seán Potts ag feadánach éigin.

128. Aisling Uí Chiardha : Tá leagan de seo ag an Seoigheach (J ii, 236) agus ceann eile ag Ó Néill (O'N i, 731). *The Cameronian Reel* atá ag Ó Néill air.

129. Aisghairm na hAontachta : Tá leagan ag Ó Néill (O'N i, 459). Tugtar *Kate Gaynor's Fancy, The Gurtaglanna Reel* agus *Roll Her in the Rushes* air freisin.

130. An Seomra in Uachtar : Dhá leagan de seo atá ag Ó Néill, *Miss Wallace* agus *The Wallace Twins* (O'N i, 685 agus O'N iii, 298). Tugtar *The Moving Bog, New Tobacco* agus *The Bog Ranger's Wife* air freisin.

131. Fearghal Ó Gadhra : Táthar á dhéanamh amach gurb é atá i gceist san ainm an Tiarna Maighe Uí Ghadhra thug dídean do na Cheithre Máistrí. Má's é, ní lena linn féin, déarfainn, ach i bhfad ina dhiaidh sin a cumadh an fonn.

133. Pádraig Spóirtiúil : *Irish Pat* atá ag Ó Néill air (O'N iii, 263).

136. An Sean-draighneán : Tá leagan de seo ag Ó Néill a bhfuil *The Rising Sun* agus *Jolly Clam-diggers* aige air (O'N i, 608).

141. Sliabh Bána : Is leagan de *The Silver Tip* atá ag an Róisteach (R i, 170). Tá leagan ag Goodman a dtugann sé *The Top of the Cliff* air (G i, l. 38) agus ceann eile, *The New Mown Meadows*, ag an Seoigheach (J ii, 61). Tugtar *The Silver Spear* agus *Miss Lane's Fancy* freisin air.

143. Gearrchaile Oileán Píce : Is leagan de seo *Reidy's Reel* atá ag Ó Néill (O'N iii, 304) ach is leis an *Bank of Ireland* an dara leathmhír den chasadh atá tugtha aige ann.

144. An Claíomh i Láimh : *The Little Pig Lamenting the Empty Trough* ainm eile a bhí ag an mBrógánach air seo. *The Cork Lasses* atá ag Goodman air seo (G iii, 1. 127). *Sally on the Shore* ainm eile air.

145. Pádraig Réice : Albanach é seo ó cheart. Deir Ó Néill gur fhoilsigh Bremner é sa mbliain 1768 faoin ainm *Caper Fey* san " Second Collection of Scots Reels or Country Dances " agus gur gnách an leagan ceart den ainm, Cabair Féigh nó *The Deer's Horns*, a bheith air sna leabhair ceoil don phíob mhór. Ní fíor dhó gur leagan den ríl seo *Sporting Pat* (O'N ii, 297). Is goire go mór an ríl sin don *Copperplate* ná do " Phádraig Réice " (O'N iii, 269). Tugtar *The Castle Street Reel* agus *Glastertown's Downfall* freisin air seo.

146. Salamanca : Tá an gnáthleagan nó an leagan díreach ag Levey (L i, 54) agus ag Ó Néill (O'N i, 603). Tá sé i gceist go gcastaí mar chornphíopa an fonn seo ach níor airigh mé á chasadh chomh spadánta sin é.

147. Cill Abhaill : Ó Fheardorcha Ó Finn fuair an Brógánach an ríl seo.

150. Tabhair póg don Bhrídeoig sa Leaba : *Bumper Allen's Delight* atá ag an Róisteach air seo (R iii, 79). *The Maids of Tipperary* atá ag Ó Néill air (O'N iii, 246). Tugtar *Kiss the Maid in Bed* agus *Tom the Fisherman* freisin air.

151. Gearrchaile Bhaile Mhistéala : Tá leagan eile ag Ó Néill (O'N i, 650).

153. An Cat d'ith an Choinneal : Ó Sheán Potts a fuair Tomás Riabhach an ríl seo. Tá leagan fabhtach ag Hardebeck a dtugann sé *The Morning Star* air (H i, 10).

154. Luighseach Chaimbhéal : Ríl Albanach é a raibh *Miss Louisa Campbell's Delight* i dtosach air. Deir John Glen gur foilsíodh den chéad uair é sa mbliain 1780. *The Bridal O'T* atá ar amhrán a scríobhadh don fhonn seo.

155. An Baisteadh : Tá leagann den Bhaisteadh ag Ó Néill (O'N i, 551). B'ann a fuair mé an t-ainm. Tugtar *The Spout Reel* freisin air seo.

157. Bairéad an Mháirnéalaigh : Tá leagan eile ag an mBrianach san " Irish Folk Dance Music " (176).

158. Thar an gCnoc : Tugtar *Up against the Boughalauns* freisin air.

159. Buachaillí na Locha : *Johnstown Reel* atá ar leagan díreach de seo atá ag Ó Néill (O'N ii, 304). Tá leagan eile faoin ainm *The Rose of Castletown* ag an Róisteach (R i, 139).

165. Ríl Sholais Uí Laighléis : Ón gceoltóir a bhfuair an Tiobraideach uaidh é a hainmníodh an ríl seo.

166. An Ceolchumann : Ceolchumann Naomh Muire i mBaile Átha Cliath atá i gceist san ainm. Ba chomhaltaí den chumann sin bunáite na gceoltóirí a bhfuair mé an ceol atá sa gcnuasach seo uathu.

171. Páirc na Nóiníní : Tá leagan de seo ag Ó Néill (O'N i, 538).

174/176. Cáit Bhóidheach : Tugtar an dá leagan anseo mar léiriú ar stíl an dá chineál ceoltóirí atá le fáil i measc lucht an cheoil tuaithe. Tá dream amháin acu nach ndéanann athrú de bhrí ar aon mhír den cheol dá mhinicí dá gcasann siad fonn agus tá dream eile a bhíos ag iarraidh athraithe is casaíocha a chur ar gach alt den fhonn. In ainneoin a lomacht tá an chéad leagan chomh deacair leis an dara ceann, an té a chasfadh mar ba cheart é.

Is ríl Albanach " Cáit Bhóidheach " ó cheart. Deir Niel Gow gurb é Donald Dow a chum é ("Complete Repository", etc., an tríú cuid, l. 25) *The Bonny Lass of Fisherrow* a bhí ag Gow air. Deir John Glen gurb é Nial Stíobhard a chuir i gcló den chéad uair é sa mbliain 1761. I " Thompsons' Compleat Collection of 200 Favourite Country Dances " (V, l. 25) a foilsíodh an bun-leagan a thugaimse. *The Bonny Lass of Fishirron* atá sa leabhar sin air agus " Dances 1786 " clóbhuailte os a chionn ann. Chuir an Seoigheach leagan de i gcló is gan aon ainm aige air (J ii, 126). *Bonnie Kate* agus *The Boys of Limerick* atá ag Ó Néill air (O'N i, 545).

177. Baintreach na Radaireacht : Trí leagan de seo atá ag Ó Néill : *The Youngest Daughter, The Mountain Lark* (O'N i, 494 agus 516) agus *Hopetoun House* (O'N ii, 320). Deir Ó Néill i nóta faoin leagan deireanach seo gurb é Robert Bremner a d'fhoilsigh den chéad uair é sa mbliain 1760. *Sweet Molly* a thug Ó Fearghail ar an leagan d'fhoilsigh sé san " Pocket Companion ". Tá dhá leagan ag Hardebeck (H i, 2 agus H ii, 4). *The Tap Room* agus *The Tap House* a thugas sé orthu. Ní hé an casadh ceart atá aige sa gcéad leagan agus tá an dúnadh contráilte aige sa dara ceann. *Cock your pistol, Charlie* atá ag Goodman air (G ii, 163). Tugtar *Captain Murray's Reel* agus *Polly's Reel* freisin air.

178. Rogha Phádraig Uí Thuathaigh : Tá dhá leagan ag Ó Néill (O'N i, 595 agus O'N iii, 309). Deir Ó Néill gur leagan speisialta an dara ceann acu sin a baineadh as lámhscríbhinn le Ó Tuathaigh. Aisteach go leor tá an chéad chuid fabhtach agus is le *Jenny's Wedding* an dara cuid.

179. Na Coillte Críona : Ó Fheardhorcha Ó Finn fuair an Brógánach é seo. Leath-chúpla den cheann atá roimhe é.

181. Páirceanna Glasa Ros Beithe : *The Green Banks of Rossbeigh* atá ag Ó Néill ar leagan de seo (O'N ii, 289). Tugtar *The Kerry Reel* agus *The Witch of the Glen* freisin air.

182. Seán Frank : Is leagan de seo *Colonel McBain* atá ag Ó Néill (O'N i, 645). *Sporting Molly* atá ag Levey air (L ii, 63) agus níor fhéad Petrie a dhéanamh amach cén t-ainm a bhí aige féin air (P iii, 915). Deir Ó Néill gurb é Bremner chuir i gcló den chéad uair é, faoin ainm *Colonel McBain*, sa mbliain 1768 agus gur tugadh *The Duke of Clarence Reel* air i " Lavenu's New Country Dances " for the year 1798 (O'N iii, 279). *The Devonshire Reel* tugadh air i mbilleoig cheoil d'fhoilsigh B. Cooke i mBaile Átha Cliath, tuairim is 1795. *General McBean* a bhí ag Rhames agus *Brian Boru* a bhí ag Logier air ar leathnacháin ceoil d'fhoilsigh siad i dtús an chéid atá caite. Tugtar *Dan Sullivan's Reel* freisin air.

185. Cois an Ghiorria : *Jim Kennedy's Favourite, The Lowlands of Scotland* agus *The Hare's Foot* atá ag Ó Néill ar an ríl seo (O'N i, 561). Tá leagan gan ainm ag Levey (L i, 85). *The Silvermines* thug an Seoigheach ar an leagan d'fhoilsigh sé féin (J ii, 27). Tugtar *The Bundle of Straw, Follow me to Carlow* agus *The Tralee Lasses* freisin air.

187. Ríl an Loinsigh. Sé Hardebeck a chuir é seo i gcló den chéad uair (H ii, 5).

188. An Bhean Uasal ar an Oileán : Tá leagan eile ag Ó Néill (O'N ii, 303).

189. Gearrchailiú an Dúin Mhóir : Tugtar *The Road to Knock* air seo freisin.

190. An Biadánaí : Shílfeá gur as " Méaracán an Táilliúra " (uimh. 125) a rinneadh an chéad chuid de seo agus gur as an dara cuid den " Seomra in Uachtar " (uimh. 130) rinneadh an casadh. *The Cabin Hunter* (i.e., biadánaí) atá i mBéarla air.

97

191. Pléaráca Lios an Daill : Tá leagan de seo ag an mBrianach (Irish Folk Dance Music, 168).

192. Gearrbhodaí Laoise : Ríl as Albain a bhfuil *The Lads of Leith* ó cheart air é seo.

193. Gearrchailiú Bhaile Átha Cliath : *Murtough Molloy* atá ag Ó Néill air seo (O'N i, 741). Is ionann casadh dó seo agus don *Eight and Forty Sisters* atá i gcló san " Feis Ceoil Collection of Irish Airs " (9).

194. Diúc Laighean : Is leagan de seo *The Dandy Reel* atá ag O'Neill (O'N ii, 294).

195. Craith na Cleiteacha : Tá leagan ag Petrie (P iii, 462) agus ceann eile ag Ó Néill (O'N i, 502).

196. Cill Beathach : Tá leagan fabhtach a bhfuil *Tom Steele* (a colleague of Daniel O'Connell) air i " Kerr's Violin Instructor and Irish Folk Song Album " (83). Tugtar *The Laurel Groves* freisin air.

197. Banríon Bhealtaine : *The Tap Room* a tugtar freisin air seo.

198. Giorria sa bhFraoch : Tugtar *The Morning Dew* air seo freisin.

199. Tiarna Wellington : Is ionann fonn dó seo agus don *Fairy Hurlers* nó *Walsh's Favourite* atá ag Ó Néill (O'N iii, 245). Tugtar *The Galway Rambler* agus *Paddy Finlay's Favourite* freisin air.

200. Ríl na Tulaí : Tugtar *Cooley's Reel* freisin air.

203. Tiarna Gordon : Seo sampla eile don stíl ornáideach a fuair mé ó Thomás Potts. Sé Marshall a chum an ríl seo. *The Duke of Gordon's Rant* atá air i McGlashan's " Collection of Strathspey Reels " a foilsíodh c. 1780.

204. The Liverpool Breakdown : Cineál cornphíopa nó " clogdance " a bhí san *Breakdown*.

205. Chuir mé Feisteas ar mo Theachsa : Seo véarsa d'amhrán a bhí ag an gCeallach leis :

> I furnished up my house as well as I was able,
> With a three-legged stool and a fine old table.
> That wouldn't do I had to get the cradle
> And look for the bottle in the morning.

Tugtar *The Humours of Tullycreen* freisin air seo.

207. An Londubh : Seo véarsa as amhrán atá ag muintir Roghallaigh leis :

> The Maytime is come and the gay flowers are springing ;
> The wild birds are singing their loving notes o'er.
> But all the day long through my lone heart is ringing ;
> The voice of my Blackbird, I'll never see more.

208. Cornphíopa Uí Bhroin : Tá leagan eile ag Ó Néill (O'N i, 865).

211. Rogha Bhean Uí Ghealbháin : Ón mbean a bhfuair an Ceallach uaithi é a hainmníodh an fonn seo.

213. Cornphíopa Uí Mhurchadha : Tá leagan de seo nach bhfuil ach dhá chuid ann i gcló ag Kerr (Fourth Collection of Merry Melodies, Book XI, 280).

214. Rogha Mhicí Uí Cheallacháin : Ba ón bhfear atá luaite san ainm, comharsa dó féin i gCo. an Chláir, a fuair an Ceallach an fonn seo.

CLÁR NA nAINMNEACHA

Ar deireadh an ainm a cuirtear an t-alt : is faoi B, cuirim i gcás, agus ní faoi A atá
An Boc sa gCoill. Is don fhonn agus ní don leathanach a thagrann na huimhreacha.

POIRT DÚBALTA

99

POIRT SINGIL, POIRT LUASCAIGH AGUS EILE

H•

RÍLEANNA

CORNPHÍOPAÍ

NA CEOLTÓIRÍ
a bhfuair an tÚdar na Foinn uathu

Mac Aodhgáin, Seán ...	... *feadánach* ...	...	uimh. 99, 115, 166.
Ó Braonáin, Seán ...	... *feadánach* ...	...	uimh. 15, 167.
Breathnach, Seosamh ...	... *píobaire* ...	...	uimh. 3, 43, 60, 73.
Ó Brógáin, Sonny ...	... *fear cáirdín* ...	...	uimh. 2, 5, 7, 9, 28, 33, 34, 35, 47, 50, 51, 67, 78, 80, 81, 82, 92, 93, 96, 97, 100, 101, 107, 108, 109, 110, 114, 131, 132, 133, 144, 147, 160, 161, 162, 163, 164, 179, 180, 181, 182, 199, 200, 201, 202, 209, 210, 213.
Ó Bróithe, Micheál ...	... *píobaire* ...	...	uimh. 12, 40, 48, 173.
Ó Bróithe, Pádhraic ...	... *píobaire* ...	...	uimh. 11, 20, 23, 41, 90, 91, 116, 122.
Ó Bróithe, Seán ...	... *fear cáirdín* ...	...	uimh. 8.
Ó Ceallaigh, Seán ...	... *fidléara* ...	...	uimh. 52, 53, 55, 56, 68, 77, 195, 196, 204, 205, 211, 212, 214.
Ó Cróinín, Donncha ...	... *fidléara* ...	...	uimh. 54, 70, 169.
Ó Dorbáin, Seán ...	... *fidléara* ...	...	uimh. 45.
de Faoite, Pádhraic ...	... *feadánach stáin*	...	uimh. 14, 25, 44, 58, 59, 88, 95.
Mac Flannchadha, Liam ...	... *píobaire* ...	...	uimh. 6, 16, 17, 18, 32, 39, 46, 64, 72, 83, 84, 85, 102, 141, 143, 145.
Ó Maolagáin, Tomás ...	... *fidléara* ...	...	uimh. 117.
Potts, Tomás	... *fidléara* ...	...	uimh. 27, 36, 37, 75, 76, 79, 124, 134, 135, 136, 137, 138, 154, 159, 170, 171, 176, 184, 185, 193, 194, 197, 203.
Potts, Treasa	... *bean cháirdín* ...	...	uimh. 149.
Potts, Seán	... *píobaire* ...	...	uimh. 1, 4, 10, 13, 19, 21, 22, 29, 30, 31, 38, 61, 62, 63, 65, 66, 69, 71, 89, 103, 104, 105, 106, 127, 128, 129, 130, 150, 151, 175, 177, 178, 208.
Riabhach, Tomás ...	... *píobaire* ...	...	uimh. 74, 121, 146, 153.
Ó Roghallaigh, Seoirse ...	... *fidléara* ...	...	uimh. 24, 26, 123, 126, 152, 172, 183, 186, 187, 206, 207.
de Stabaltún, Éamonn ...	... *feadánach* ...	...	uimh. 112, 113, 120, 125, 139, 140, 142, 148, 168, 187, 189, 190, 191, 192.
Mac Tighearnáin, Maitiú ...	... *píobaire* ...	...	uimh. 42, 49, 86, 87, 111, 118, 119, 156, 157, 158, 198.
Ó Tiobraide, Micheál ...	... *feadánach* ...	...	uimh. 57, 94, 98, 155, 165.

SCAOILEADH NA NODANNA

G i/iv	*Lámhscríbhinní Goodman* (ceithre imleabhar) i Leabharlann Choláiste na Tríonóide, Baile Átha Cliath.			
H i	*Cnuasacht Port agus Cor don bPianó.* ... Cuid a haon	... C. G. Hardebeck	... Dublin ...	... 1921
H ii	*Cnuasacht Port agus Cor don bPianó.* ... Cuid a dó	... C. G. Hardebeck	... Dublin ...	... 1921
J i	*Ancient Irish Music*	... P. W. Joyce ...	... Dublin ...	... 1912 (athchló)
J ii	*Old Irish Folk Music and Song* ...	... P. W. Joyce ...	... Dublin ...	... 1909
L i	*The Dance Music of Ireland* ... ... (The first collection of)	... R. M. Levey ...	... London ...	... 1858
L ii	*The Dance Music of Ireland* ... ... (The second collection of)	... R. M. Levey ...	... London ...	... 1873
O'N i	*The Dance Music of Ireland*	... F. O'Neill ...	......Chicago ...	... 1907
O'N ii	*O'Neill's Irish Music* ... ... (Enlarged Edition)	... F. O'Neill ...	... Chicago ...	... gan dáta
O'N iii	*Waifs and Strays of Gaelic Melody* ... (Second Edition. Enlarged)	... F. O'Neill ...	... Chicago ...	... 1922
P i	*The Ancient Music of Ireland*	... G. Petrie ...	... Dublin ...	... 1855
P ii	*Ancient Music of Ireland*	... G. Petrie ...	... Dublin ...	... 1882
P iii	*The Complete Collection of Irish Music* ... (as noted by George Petrie)	C. V. Stanford ... (ed.)	... London ...	... 1905
R i	*Collection of Irish Airs, Marches and Dance Tunes* (new edition carefully revised by the author) Vol. I	F. Roche ...	... Dublin ...	... gan dáta
R ii	*Collection of Irish Airs, Marches and Dance Tunes* (new edition carefully revised by the author) Vol. II	F. Roche ...	... Dublin ...	... gan dáta
R iii	*Collection of Irish Airs, Marches and Dance Tunes* (new edition carefully revised by the author) Vol. III	F. Roche ...	... Dublin ...	... gan dáta